PUERTAS & VENTANAS DE

BARCELONA
MODERNISTA

TEXTOS Y FOTOGRAFÍAS: **CARLOS GIORDANO Y NICOLÁS PALMISANO**

MUNDO FLIP EDICIONES

Arquitectos / Arquitectes / Architects

Antoni Gaudí

Lluís Domènech i Montaner

Josep Puig i Cadafalch

Josep Maria Jujol

Francesc Berenguer

Salvador Valeri i Pupurull

SUMARIO :: SUMARI :: CONTENTS

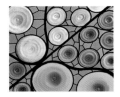

Introducción / Introducció / Introduction

● Los elementos más distintivos de cualquier obra arquitectónica son, sin duda, las puertas y las ventanas. Su evidente funcionalidad como puente entre el exterior y el interior les otorga, además, un alto valor simbólico. Uno de los movimientos arquitectónicos que mejor supo explotar estas cualidades fue el modernismo, que empleó la fantasía, la mitología y el universo de lo alegórico como fuente de inspiración ilimitada, haciendo de las puertas y de las ventanas un sello de su arte.

● Els elements més distintius de qualsevol obra arquitectònica són, sens dubte, les portes i les finestres. La seva evident funcionalitat com a pont entre l'exterior i l'interior els atorga, a més a més, un valor simbòlic molt alt. Un dels moviments arquitectònics que va saber explotar millor aquestes qualitats va ser el modernisme, que va utilitzar la fantasia, la mitologia i el univers al·legòric com a font d'inspiració il·limitada i va fer de les portes i les finestres un segell del seu art.

● The most distinctive elements of any architectural work are, without doubt, the doors and the windows. Their evident function as a bridge between the outside and the inside bestows on them a high symbolic value. One of the architectural movements which best knew how to exploit these qualities was that of Modernism, using fantasy, mythology and the allegorical universe as its source of unlimited inspiration, with the doors and windows being a seal of its art.

Antoni Gaudí

LA BUSQUEDA DEL ORIGEN
LA RECERCA DE L'ORIGEN
IN SEARCH OF THE ORIGIN

- Por su originalidad y su genio fue el arquitecto más destacado y controvertido de su época. Inspirado en la naturaleza, experimentó con nuevas soluciones formales y estructurales, generando una arquitectura única en el mundo. Sus edificios se caracterizan por una gran fuerza evocadora de formas naturales y seres vivos. Sin duda, su obra influenció a las vanguardias y a la arquitectura del siglo XX. Entre sus principales construcciones encontramos: el palau Güell (1886-1888), la Pedrera (1906-1916) y el templo de la Sagrada Familia (1883-...).

- Per l'originalitat i el geni va ser l'arquitecte més destacat i controvertit de la seva època. Inspirat en la naturalesa, va experimentar amb noves solucions formals i estructurals i va generar una arquitectura única al món. Els seus edificis es caracteritzen per una gran força evocadora de formes naturals i éssers vius. Sens dubte, la seva obra va influenciar les avantguardes i l'arquitectura del segle XX. Entre les seves principals construccions trobem: el Palau Güell (1886-1888), la Pedrera (1906-1916) i el temple de la Sagrada Família (1883-...).

- Owing to his originality and genius he was the most acclaimed and controversial architect of his era. Inspired by nature, he experimented with new formal and structural solutions, generating a style of architecture which was unique in the world. His buildings are characterized by a great evocative force of natural forms and living beings. Without doubt, his work influenced the avant-garde and twentieth century architecture. His principal constructions include: Güell Palace (1886-1888), la Pedrera (1906-1916) and the temple of La Sagrada Familia (1883-...).

001

002

003

004

001 **BELLESGUARD**
Puerta principal / Porta
principal / Main door.

002 **CASA VINCENS**
Detalle de ventana, fachada
principal / Detall de finestra,
façana / Window detail,
main façade.

003 **PALAU GÜELL**
Reja de hierro forjado, venta-
na fachada principal / Reixa
de ferro forjat, finestra façana
/ Forged iron grille of win-
dow, main façade.

004 **BELLESGUARD**
Ventana, fachada lateral /
Finestra, façana lateral /
Window, lateral façade.

005

Finca Güell

● En 1884, Eusebi Güell encargó a Gaudí la realización del muro exterior, la portería y las caballerizas de la finca que tenía a las afueras de la ciudad. Gaudí quiso convertir los jardines en el "Jardín de las Hespérides", donde, según la leyenda, un gran dragón vigilaba a las ninfas castigadas.

● El 1884 Eusebi Güell va encarregar a Gaudí la realització del mur exterior, la porteria i les cavallerisses de la finca que tenia als afores de la ciutat de Barcelona. Gaudí va voler convertir els jardins d'aquesta finca en el "Jardí de les Hespèrides", on, segons la llegenda, un gran drac vigilava les nimfes castigades.

● In 1884, Eusebi Güell commissioned Gaudí to construct the outer wall, the gatekeeper's residence and the stables of the property which he owned outside the city of Barcelona. Gaudí wanted to convert the gardens of this estate into the "Garden of the Hesperides", where, according to legend, a large dragon guarded chastised nymphs.

006

006 CASA VICENS
Ventanas de la fachada
principal / Finestres de la
façana principal / Main
façade's window.

007 LA PEDRERA
Puerta del vestíbulo
de la calle Provença /
Porta del vestíbul del
carrer Provença / Hall door
on Provença street.

008 PARK GÜELL
Ventana, pabellón de
entrada / Finestra, pavelló
d'entrada / Window, pavilion
entrance.

009 CASA VICENS
Dragón, ventana de la facha-
da principal / Drac, finestra
de la façana principal / Dra-
gon, main façade's windows.

007

008

009

010

010 **PARK GÜELL**
Ventana superior, pabellón
de entrada / Finestra supe-
rior, pavelló d'entrada / Top
window, entrance pavilion.

011

012

011 PARK GÜELL
Puerta del pabellón
de entrada / Porta del
pavelló d'entrada / Pavilion
entrance door.

012 CASA CALVET
Balcón, fachada principal /
Balcó, façana principal /
Balcony, main façade.

013 PARK GÜELL
Ventana, pabellón de
entrada / Finestra, pavelló
d'entrada / Window, pavilion
entrance.

TODA OBRA DE ARTE HA DE SER SEDUCTORA,
EN ELLO RADICA LA UNIVERSALIDAD QUE ATRAE
A TODOS, ENTENDIDOS O PROFANOS

TOTA OBRA D'ART HA DE SER SEDUCTORA,
AQUÍ ÉS ON RADICA LA UNIVERSALITAT QUE
ATRAU A TOTHOM, ENTESOS O PROFANS

EVERY WORK OF ART HAS TO BE SEDUCTIVE,
IN THIS LIES THE UNIVERSALITY WHICH
ATTRACTS EVERYONE, SPECIALIST OR PROFANE

ANTONI GAUDÍ

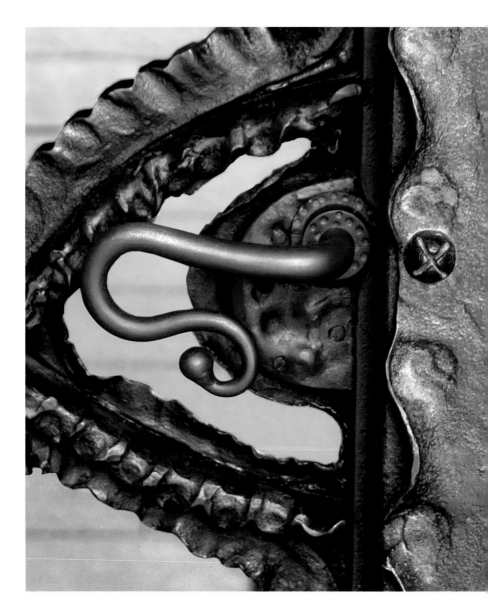

015

016

017

014 **LA PEDRERA**
Puerta principal /
Porta principal /
Main door.

015 **PALAU GÜELL**
Ventanas en la base de
la cúpula, terrado /
Finestres a la base de
la cúpula, terrat / Win-
dows at the bottom of
the dome, terrace.

016 **BELLESGUARD**
Ventana de piedra y
madera / Finestra de
pedra i fusta / Stone
and wooden window.

017 **PARK GÜELL**
Ventana del pabellón
de entrada / Finestra
del pavelló d'entrada /
Pavilion entrance
window.

014

018

018 BELLESGUARD
Ventana y vidriera, fachada principal / Finestra i vitrall, façana principal / Windows and stained glass window, main façade.

019 CASA VICENS
Ventanas, fachada principal / Finestres, façana principal / Windows, main façade.

020 BELLESGUARD
Puerta de acceso / Porta d'accés / Access door.

021 PALAU GÜELL
Rejas, fachada principal / Reixes, façana principal /

Grille window, main façade.

022 FINCA GÜELL
Estrella, detalle de la puerta principal / Estrella, detall de la porta principal / Star, main door detail.

019

020

021

022

La Pedrera

● El edificio monumental, construido en el paseo de Gràcia de Barcelona, es la última obra civil de Gaudí. Popularmente es conocido como "La Pedrera" por su aspecto exterior similar a una cantera. La fachada es una masa de piedra ondulante, donde cuelgan como si fueran plantas, las rejas de hierro de los balcones.

● L'edifici monumental, construït al passeig de Gràcia de Barcelona, és l'última obra civil de Gaudí. Popularment és coneguda com "La Pedrera" pel seu aspecte exterior similar a una pedrera. La façana és una massa de pedra ondulant, de la qual pengen, com si fossin plantes, les reixes de ferro dels balcons.

● The monumental building, found on the paseo de Gràcia in Barcelona, is Gaudí's last civil work. It is popularly known by the name of "La Pedrera" for the exterior's quarry-like resemblance. The façade is a mass of undulating stone, from which the iron rails of the balconies hang like plants.

025

026

027

028

024 **PALAU GÜELL**
Escultura que protege las puertas de acceso al palacio / Escultura que protegeix les portes d'accés al palau / Sculpture protecting the entrance door of the palace.

025 **FINCA GÜELL**
Ventana, pabellón de entrada / Finestra, pavelló d'entrada / Window, pavilion entrance.

026 **BELLESGUARD**
Ventana, fachada principal / Finestra, façana principal / Window, main façade.

027 **CASA VICENS**
Puerta de acceso / Porta d'accés / Access door.

028 **CASA CALVET**
Ornamentos de una de las ventanas, fachada principal / Ornaments d'una de les finestres, façana principal / Ornaments of one of the windows, main façade.

024

Lluís Domènech i Montaner

02

RACIONALISMO E IDENTIDAD
RACIONALISME I IDENTITAT
RATIONALISM AND IDENTITY

● Fue historiador, profesor y diputado, pero se destacó como uno de los arquitectos más importantes del movimiento modernista. Su arquitectura buscó un estilo que pudiese reflejar el carácter nacional catalán. Sus obras se caracterizan por una mezcla de racionalismo constructivo y una rica ornamentación inspirada en la arquitectura hispano-árabe. Entre sus edificios más importantes encontramos: el hospital de la Santa Creu i Sant Pau (1901-1912), la casa Lleó Morera (1905) y el Palau de la Música Catalana (1905-1908).

● Va ser historiador, professor i diputat, però va destacar com un dels arquitectes més importants del moviment modernista. La seva arquitectura va buscar un estil que pogués reflectir el caràcter nacional català. Les seves obres es caracteritzen per una barreja de racionalisme constructiu i una rica ornamentació inspirada en l'arquitectura hispanoàrab. Entre els seus edificis més importants trobem: l'Hospital de la Santa Creu i Sant Pau (1901-1912), la casa Lleó Morera (1905) i el Palau de la Música Catalana (1905-1908).

● He was a historian, a teacher and Member of Parliament, but also stood out as one of the most important architects of the Modernist movement. His architecture searched for a style which would best reflect the Catalan national character. His works are characterized by their blend of constructive rationalism and the rich decoration inspired by Hispanic-Moorish architecture. His most important buildings include: the Hospital de la Santa Creu and Hospital San Pau (1901-1912), the casa Lleó Morera (1905) and the Palau de la Música Catalana (1905-1908).

030

029

031

029 PALAU DE LA MÚSICA
Vidriera y ventana, sala Lluís
Milet / Vitrall i finestra, sala
Lluís Milet / Stained glass and
window, Lluís Milet room.

030 CASA THOMAS
Decoración de ventana,
fachada / Decoració de
finestra, façana / Window
decoration, façade.

031 CASA THOMAS
Detalle de puerta principal /
Detall de porta principal /
Detail of main door.

032 PALAU DE LA MÚSICA
Escultura y ventanas,
fachada lateral / Escultura i
finestres, façana lateral /
Sculpture and windows,
lateral façade.

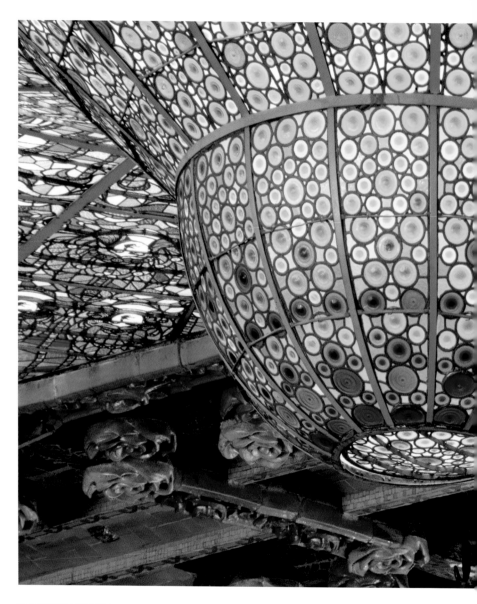

Palau de la Música Catalana

● Construido entre los años 1905 y 1908, es la sede del Orfeó Català. La fachada está construida en ladrillo rojo visto y decorada con coloridas cerámicas, en donde destaca el grupo escultórico en homenaje a la canción popular. En el interior se combina la cerámica y el vidrio logrando una acústica perfecta.

● Construït entre els anys 1905 i 1908, és la seu de l'Orfeó Català. La façana està construïda en totxana vermella vista i decorada amb colorides ceràmiques, on destaca el grup escultòric en homenatge a la cançó popular. A l'interior es combina la ceràmica i el vidre aconseguint una acústica perfecta.

● Built between 1905 and 1908, it is the headquarters to the Orfeó Català (Catalan Choral Society). Its red-bricked façade is decorated with coloured ceramic work, and a sculptural group stands out in homage to *canción popular* (popular song). Within its interior, ceramic and glasswork are combined to attain perfect acoustics.

SIEMPRE QUE UNA IDEA ORGANIZADORA DOMINA A UN PUEBLO, SIEMPRE QUE IRRUMPE UNA NUEVA CIVILIZACIÓN, APARECE UNA NUEVA ÉPOCA ARTÍSTICA...

SEMPRE QUE UNA IDEA ORGANITZADORA DOMINA UN POBLE, SEMPRE QUE IRROMP UNA NOVA CIVILITZACIÓ, APAREIX UNA NOVA ÈPOCA ARTÍSTICA...

WHENEVER AN ORGANIZING IDEA PREVAILS OVER A PEOPLE, A NEW CIVILIZATION ALWAYS ERUPTS, AND A NEW ARTISTIC PERIOD APPEARS...

LLUÍS DOMÈNECH I MONTANER

034

035

036

037

038

034 **CASA FUSTER**
Ventana haciendo esquina /
Finestra que fa cantonada /
Corner windows.

035 **HOSPITAL SANT PAU**

036 **CASA THOMAS**
Fachada principal / Façana
principal / Main façade.

037 **HOSPITAL SANT PAU**
Vitral / Vitrall /
 Stained glass.

038 **CASA LLEÓ MORERA**
Ventana representativa
del Quadrat d'Or /
Finestra representativa
del Quadrat d'Or /
Representative window
of the Quadrat d'Or.

041

040

042

039 **PALAU
DE LA MÚSICA**
Vitral, auditorio /
Vitrall, auditori / Stained
glass, auditorium.

040 **EDITORIAL
MONTANER I SIMÓN**
FUNDACIÓ TÀPIES
Ventana Triple, fachada
Principal / Finestra triple,
façana principal / Triple
window, main façade.

041 **CASA IGLESIAS**
Fachada principal / Façana
principal / Main façade.

042 **HOSPITAL SANT PAU**
Vitral / Vitrall /
Stained glass.

Hospital de Sant Pau

● Construido entre los años 1902 y 1930, el hospital se originó gracias a la donación del banquero Pau Gil. El proyecto inicial de 1901, que ocupaba nueve manzanas del ensanche, constaba de un edificio principal dedicado a la administración y 48 pabellones para las distintas especialidades médicas.

● Construït entre els anys 1902 i 1930, l'hospital es va originar gràcies a la donació del banquer Pau Gil. El projecte inicial de 1901, que ocupava nou illes de cases de l'Eixample, constava d'un edifici principal dedicat a l'administració i 48 pavellons per a les diferents especialitats mèdiques.

● Built between the years 1902 and 1930, the hospital was built thanks to a donation by the banker Pau Gil. The initial project of 1901, which took up nine blocks of the Ensanche, consisted of a main building dedicated to administration and forty-eight pavilions for different medical specializations.

046

045

047

044 **HOSPITAL SANT PAU**
Corredor lateral izquierdo /
Corredor lateral esquerre /
Left hand side passage.

045 **HOSPITAL SANT PAU**
Cúpula y ventanas de uno
de los pabellones / Cúpula
i finestres d'un dels pave-
llons / Dome and windows
of one of the pavilions.

046 **CASA TOMAS**
Balcón, fachada principal /
Balcó, façana principal /
Balcony, main façade.

047 **PALAU DE LA MUSICA**
Vitrales del auditorio /
Vitralls de l'auditori /
Stained glass windows of
auditorium.

Josep Puig i Cadafalch

03

TRADICIÓN Y VANGUARDIA
TRADICIÓ I AVANTGUARDA
TRADITION AND AVANT-GARDE

● Discípulo de Domènech i Montaner, se le considera el último representante de la arquitectura modernista catalana. Además de arquitecto, fue profesor, historiador, político y presidente de Cataluña entre 1917 y 1924. Sus obras se caracterizan por la mezcla de elementos gótico-catalanes con influencias flamencas y de los países nórdicos, en donde destaca la policromía y el uso de técnicas artesanales. Entre sus obras encontramos: el café els Quatre Gats (1897), la casa Amatller (1898-1900) y la fábrica textil Casaramona (1909-1911).

● Deixeble de Domènech i Montaner, se'l considera l'últim representant de l'arquitectura modernista catalana. A més d'arquitecte, va ser professor, historiador, polític i president de Catalunya entre 1917 i 1924. Les seves obres es caracteritzen per la barreja d'elements goticocatalans amb influències flamenques i dels països nòrdics, en què destaca la policromia i l'ús de tècniques artesanals. Entre les seves obres trobem: el cafè els Quatre Gats (1897), la casa Amatller (1898-1900) i la fàbrica tèxtil Casaramona (1909-1911).

● Disciple of Domènech i Montaner, he was considered as the last representative of Catalan Modernist architecture. As well as an architect, he was a teacher, a historian, a politician and the President of Catalonia between 1917 and 1924. His works are characterized by their blend of Gothic-Catalan elements with Flemish and Nordic influence, where polychromatism and the use of artesanal techniques abound. His works include: café els Quatre Gats (the Four Cats, 1897), the casa Amatller (1898-1900) and the textile factory, Casaramona (1909-1911).

048

049

050

048 **CASA SERRA**
DIPUTACIÓ DE BARCELONA.
Balcón, fachada principal /
Balcó, façana principal /
Balcony, main façade.

049 **CASA MACAYA**
Detalle parte superior de la
ventana / Detall part superior de la finestra / Window
detail.

050 **PALAU BARÓ
DE QUADRES.** CASA ASIA.
Puerta principal /
Porta principal / Main door.

051 **CASA TERRADES**
Torre, ventanas y ornamentos, fachada principal /
Torre, finestres i ornaments,
façana principal /
Tower, windows and ornaments, main façade.

052 Y 053 **FÁBRICA CASA-
RAMONA.** CAIXA FÒRUM.
Detalles de puertas / Detalls
de portes / Doors detail.

054 **CASA MACAYA**
Puerta principal /
Porta principal / Main door.

051

052

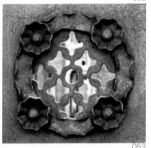

053

054

Palau Baró de Quadres

● Construido entre 1904 y 1906, ocupa un espacio estrecho entre la avenida Diagonal y la calle Roselló. La fachada principal, de estilos gótico barroco, y la fachada posterior, sobria y austera, se comunican por medio de un vestíbulo magníficamente decorado con pinturas, esgrafiados y cerámicas.

● Construït entre 1904 i 1906, ocupa un espai estret entre l'avinguda Diagonal i el carrer Roselló. La façana principal, d'estils gòtic i barroc, i la façana posterior, sòbria i austera, es comuniquen a través d'un vestíbul magníficament decorat amb pintures, esgrafiats i ceràmiques.

● Constructed between 1904 and 1906, it takes up a narrow area between the Diagonal Avenue and Roselló Street. The main façade, of Baroque Gothic style, and the rear façade, sober and austere, are connected by means of a hall which is magnificently decorated with pictures, sgraffitos and ceramic work.

056 Y 059 **CASA MACAYA**
Detalles, puerta principal /
Detalls, porta principal /
Details, main door.

057 **CASA MARTÍ**
ELS 4 GATS.
Puerta principal /
Porta principal /
Main door.

058 **CASA TERRADES**
Detalle, puerta principal /
Detall, porta principal /
Detail, main door.

060 **CASA MARTÍ**
ELS 4 GATS.
Puerta principal y balcones /
Porta principal i balcons /
Main door and balconies.

:: LA ARQUITECTURA NO ES DIBUJO NI ESCULTURA, QUIEN CREA QUE NACE DE UN LÁPIZ ESTA EQUIVOCADO

:: L'ARQUITECTURA NO ÉS DIBUIX NI ESCULTURA, QUI CREGUI QUE NEIX D'UN LLAPIS ESTÀ EQUIVOCAT

:: ARCHITECTURE IS NEITHER A DRAWING NOR A SCULPTURE; HE WHO BELIEVES IT SPRINGS FROM A PENCIL IS MISTAKEN

JOSEP PUIG I CADAFALCH

061 **CASA SERRA**
DIPUTACIÓ DE BARCELONA.
Balcón, fachada principal /
Balcó, façana principal /
Balcony, main façade.

062 **CASA TERRADES**
Torre y fachada / Torre i
façana / Tower and façade.

063
Casa Amatller

● En 1898 comenzó la remo-
delación de la casa propiedad
de Antoni Amatller, un adine-
rado chocolatero. La fachada
presenta un cierto aire fla-
menco que recuerda a las
casas del siglo XVIII situadas
en los canales de Ámsterdam.
En ella se combinan trabajos
de esgrafiado, forja de hierro,
cerámica y escultura.

● El 1898 va començar la
remodelació de la casa pro-
pietat d'Antoni Amatller, un
adinerat xocolater. La façana
presenta un cert aire flamenc
que recorda les cases del
segle *XVIII* situades als canals
d'Amsterdam. S'hi combinen
treballs d'esgrafiat, forja de
ferro, ceràmica i escultura.

● In 1898, remodelling began
on the house which was prop-
erty of Antoni Amatller, a
wealthy chocolate maker.
The façade has a certain
Flemish influence similar to
the eighteenth century houses
built on the canal banks of
Amsterdam. The house com-
bines sgraffito, ironwork,
ceramic work and sculpture.

064

065

066

064 **CASA TERRADES**
Entrada, avenida Diagonal /
Entrada, avinguda Diagonal /
Entrance, avenida Diagonal.

065 **CASA MARTÍ .**
ELS 4 GATS.
Detalle puerta lateral /
Detall porta lateral /
Lateral door detail.

066 **PALAU BARÓ
DE QUADRES.** CASA ASIA.
Detalle, puerta interior /
Detall, porta interior /
Detail, interior door.

067 **CASA AMATLLER**
Balcón, piso principal /
Balcó, pis principal /
Balcony, main floor.

Jujol / Berenguer / Valeri i Pupurull

DECORATIVOS Y FUNCIONALISTAS
DECORATIUS I FUNCIONALISTES
DECORATIVE AND FUNCTIONALIST

04

● Pertenecientes a la segunda generación de arquitectos modernistas catalanes, estos tres arquitectos estudiaron en la Escuela de Arquitectura de Barcelona y sus obras recibieron una fuerte influencia de Antoni Gaudí. De hecho, Jujol y Berenguer fueron colaboradores de Gaudí en varias de sus obras. Revalorizando las artes decorativas, combinaron el esgrafiado, la cerámica, el vidrio, el forjado en hierro y la escultura. En sus edificios predomina la línea curva, las formas orgánicas y una colorida decoración.

● Pertanyents a la segona generació d'arquitectes modernistes catalans, aquests tres arquitectes van estudiar a l'Escola d'Arquitectura de Barcelona i les seves obres van rebre una forta influència d'Antoni Gaudí. De fet, Jujol i Berenguer van ser col·laboradors de Gaudí en diverses de les seves obres. Revalorant les arts decoratives, van combinar l'esgrafiat, la ceràmica, el vidre, el forjat en ferro i l'escultura. Als seus edificis predomina la línia corba, les formes orgàniques i una colorida decoració.

● Belonging to the second generation of Catalan Modernist architects, these three architects studied at the School of Architecture of Barcelona and their works were strongly influenced by Antoni Gaudí. In fact, Jujol and Berenguer collaborated with Gaudí on some of his projects. Reevaluating the decorative arts, they combined sgraffito, ceramic work, glasswork, ironwork and sculpture. The curved line, organic forms and colourful decoration predominate in their buildings.

068

069

070

068 Y 073 **CASA RAMÓN.**
CASAS. Valeri i Pupurull.
Detalles, puerta principal /
Details, porta principal /
Details, main door.

069 **CASA RUBINAT.**
Francesc Berenguer.
Puerta, fachada principal /
Porta, façana principal /
Door, main façade.

070 **CASA PLANELLS.**
Josep Maria Jujol.
Ventanas, fachada principal /
Finestres, façana principal /
Main façade's windows.

071 **CASA COMALAT.**
Salvador Valeri i Pupurull.
Puerta principal / Porta
principal / Main door.

071

072

073

072 **CASA RAMÓN CASAS.**
Salvador Valeri i Pupurull.
Detalle de ventanas /
Detalls de finestres /
Windows Detail.

Casa Comalat
SALVADOR VALERI I PUPURULL

● Construido entre 1906 y 1911, este edificio está ubicado en la avenida Diagonal. La fachada principal es de piedra y muestra un estilo solemne y monocromático. La fachada posterior, de gran riqueza cromática, es totalmente ondulada y está decorada con abundantes piezas cerámicas de temática marina.

● Construït entre 1906 i 1911, aquest edifici està ubicat a l'avinguda Diagonal. La façana principal és de pedra i mostra un estil solemne i monocromàtic. La façana posterior, de gran riquesa cromàtica, és totalment ondulada i està decorada amb abundants peces ceràmiques de temàtica marina.

● Built between 1906 and 1911, this building is situated on the Diagonal Avenue. The main façade is made of stone and of a solemn and monochromatic style. The rear façade, of great chromatic richness, is totally undulating and is decorated with an abundance of ceramic pieces with a nautical theme.

075

076

077

078

079

075 **CASA PLANELLS.**
Josep Maria Jujol.
Fachada lateral / Façana
lateral / Lateral façade.

076 **EDIFICIO DE VIVIENDAS.**
Francesc Berenguer.
Detalle, reja del balcón /
Detall, reixa del balcó /
Detail, grille of the balcony.

077 **EDIFICIO DE VIVIENDAS.**
Francesc Berenguer.
Detalle del balcón /
Detall del balcó / Detail
of the balcony.

078 **CASA MUSEO GAUDÍ.**
Francesc Berenguer.
Ventanas, fachada principal /
Finestres, façana principal /
Windows, main façade.

079 **AYUNTAMIENTO DE**
GRÁCIA. Francesc Berenguer.
Ventanas de la fachada
principal / Finestres de
la façana principal / Main
façade's window.

NO DAMOS A NUESTRA INTERPRETACIÓN MÁS QUE UN VALOR POÉTICO, YA QUE NI LA HOJA SE MUEVE EN EL ÁRBOL SI NO ES SEGÚN EL PLAN QUE DIOS TRAZÓ

NO DONEM A LA NOSTRA INTERPRETACIÓ MÉS QUE UN VALOR POÈTIC, JA QUE NI LA FULLA ES MOU A L'ARBRE SI NO ÉS SEGONS EL PLA QUE DÉU VA TRAÇAR

WE DON'T GIVE OUR INTERPRETATION MORE THAN A POETIC WORTH, AS NOT EVEN THE LEAF ON THE TREE WILL MOVE IF IT ISN'T ACCORDING TO GOD'S DESIGN

JOSEP MARIA JUJOL I GIBERT

080 **CASA COMALAT.**
Salvador Valeri i Pupurull.
Ventana superior, fachada
principal /Finestra superior,
façana principal / Top win-
dow, main façade.

081 **CASA ROMÓN CASAS.**
Salvador Valeri i Pupurull.
Fachada principal / Façana
principal / Main façade.

082

083

084

082 **CASA MUSEO GAUDÍ.**
Francesc Berenguer.
Ventanas de la cúpula /
Finestres de la cúpula /
Cupola windows.

083 **CASA RUBINAT.**
Francesc Berenguer.
Ventanas, fachada principal /
Finestres, façana principal /
Windows, main façade.

084 **EDIFICIO TAPIOLES.**
Josep Maria Jujol.
Ventanas, fachada principal /
Finestres, façana principal /
Windows, main façade.

085 **CASA CAMA I ESCU-
RRA.** Francesc Berenguer.
Vidriera. fachada principal /
Vitrall, façana principal /
Stained glass window, main
façade.

085

**PUERTAS Y VENTANAS DE
BARCELONA MODERNISTA**

© **EDICIÓN / PUBLISHED BY**
2006, MUNDO FLIP EDICIONES, S.C.P.

© **TEXTOS / TEXTS**
CARLOS GIORDANO & NICOLÁS PALMISANO

© **FOTOGRAFÍAS / PHOTOGRAPHS**
CARLOS GIORDANO & NICOLÁS PALMISANO

AGRADECIMIENTOS / ACKNOWLEDGMENTS
• TRADUCCIÓN AL CATALÁN / CATALAN TRANSLATION: LAURA LLAHÍ RIBÓ
• TRADUCCIÓN AL INGLÉS / ENGLISH TRANSLATION: CERYS R. JONES

• CASA ASIA
• HOSPITAL DE LA SANTA CREU I SANT PAU
• PALAU DE LA MÚSICA CATALANA

SEGUNDA EDICIÓN, 2006 / SECOND EDITION, 2006

ISBN
84-933983-0-6

DEPÓSITO LEGAL
B-7091-2006

IMPRESO EN ESPAÑA / PRINTED IN SPAIN
I. G. MARMOL

**MUNDO FLIP
EDICIONES**
www.mundoflip.com
info@mundoflip.com